D0325574

CE LIVRE
APPARTIENT A' :

_____

_____

OFFERT PAR :

_____

REÇU LE :

_____

RETROUVEZ **FUTÉKATI**
DANS LA BIBLIOTHÈQUE ROSE

Futékati et le poisson d'avril

Futékati et le fantôme

Le secret de Futékati

Futékati et la farce de Corentin

Futékati et le voleur du musée

Futékati et le magicien

Futékati et le concours de natation

Futékati au secours de Quentin

Béatrice Nicodème
Les énigmes de Futékati

Futékati
et le magicien

Illustrations de François San Millan

HACHETTE

J'ai 7 ans et je m'appelle Futékati. Tu trouves que c'est un drôle de prénom ? C'est papa qui l'a choisi, et papa est japonais. Il paraît que je lui ressemble : j'ai les yeux et les cheveux noirs comme la nuit.

J'ai un grand frère : Niko. En réalité il s'appelle Nicolas, mais je l'appelle Niko parce que c'est plus rigolo. Lui, il ressemble à maman : il a des lunettes et les cheveux tout bouclés.

Maman est professeur de chant. Elle a la plus belle voix du monde. En tout cas, c'est ce que dit papa.

Papa, lui, est docteur, un docteur pas comme les autres :

il <u>soigne</u> les malades en leur enfon<u>çant</u> de petites <u>aiguilles</u> un peu partout. C'est bizarre, non ? Mais il <u>paraît</u> que ça ne fait pas mal du tout.

Et puis, on a un chat. On l'a appelé Jokari parce qu'il court aussi vite qu'une balle de jokari

1

La tour Eiffel
a disparu !

En classe, je suis assise à
côté de Pépita. On s'amuse
bien ! Elle connaît des tas
d'histoires drôles et elle a toujours des choses incroyables
dans son cartable.

Un jour, elle a emmené

Violette, sa souris blanche, et Mademoiselle Paprika l'a confisquée !

Une autre fois, elle a apporté son Tamagochi. Évidemment, Mademoiselle Paprika l'a confisqué aussi !

Aujourd'hui, en pleine addition à deux chiffres, Pépita me pousse du coude et sort de son cartable une boule de verre.

« C'est mon frère qui me l'a offerte ! » murmure-t-elle, les yeux brillants.

Dans la boule de verre, il y a une tour Eiffel minuscule, et lorsqu'on la retourne il neige à gros flocons !

Peut-être que Mademoiselle Paprika n'aime pas la neige ? En tout cas, elle se met à crier, en postillonnant chaque fois qu'elle prononce un **P** :

« **PéP**ita, tu es vraiment im**P**ossible ! Tu vas m'a**PP**orter tout de suite ce que tu as dans la main ! »

En traînant les pieds, Pépita va poser sa boule sur le bureau de la maîtresse. Tout le monde chuchote : « Oh ! comme c'est beau ! » Mais Mademoiselle Paprika n'a pas l'air du tout de cet avis.

« Re**P**renons, dit-elle en se tournant vers le tableau. 36 **P**lus 25... 6 **P**lus 5, cela fait 11, n'est-ce **P**as ? Je **P**ose donc un 1 et je retiens... Je retiens combien, **PéP**ita ? »

Pépita ne répond pas. On dirait qu'elle va se mettre à pleurer. Il faut absolument que je l'aide ! Je lève mon pouce, tout doucement pour que Mademoiselle Paprika ne remarque rien.

« Je retiens 1 ! » marmonne Pépita qui a compris mon signe.

À ce moment-là, heureusement, la cloche sonne et on se précipite tous en récréation.

« J'ai bien envie d'aller tout de suite reprendre ma boule ! » me dit Pépita pendant qu'on

joue à l'élastique. Elle est toute
rouge et elle lance des regards
noirs en direction de Mademoiselle Paprika qui discute
dans un coin de la cour.

Moi, je pense que c'est très
risqué : Pépita n'arrivera jamais
à rentrer dans la classe sans
être vue ! J'essaie de la calmer :

« Laisse tomber, Pépita ! Tu sais bien qu'on n'a pas le droit de rentrer dans la classe avant la fin de la récréation ! Si Mademoiselle Paprika te voit, elle ne te la rendra peut-être jamais, ta boule !

— Tu ne veux pas y aller, toi ? suggère alors Pépita. Tu es toute petite, je suis sûre qu'elle ne te verrait pas !

— Et puis quoi, encore ? Pour avoir une punition, merci bien ! »

J'aime bien Pépita, mais quand même ! Déjà, tout à l'heure, je lui ai soufflé la réponse... D'accord, j'arriverais sans doute à me glisser

dans la classe sans être vue
mais qu'est-ce que je dirai, si
une des maîtresses m'aper-
çoit ?

Et puis je suis un peu vexée.
J'ai beau être la plus petite de
la classe, je ne suis pas si minuscule que ça !

Alors je continue à jouer à
l'élastique comme si de rien
n'était, en essayant de ne plus
penser à la boule de Pépita.

Quand on rentre de récréa-
tion, Pépita pousse un cri :
« On a volé ma tour Eiffel ! »
Mademoiselle Paprika sourit.
« Mais non ! Je l'ai rangée
tout à l'heure avant de vous

suivre en récréation. Je me doute bien que tu y tiens, Pépita ! Je te l'ai confisquée pour que tu écoutes ce que je dis au lieu de regarder tomber la neige... Mais je te promets de te la rendre à quatre heures et demie.

— Merci... maîtresse ! » bredouille Pépita.

Ouf ! Tout s'arrange ! Pépita est tellement contente qu'elle reste aussi immobile qu'une statue jusqu'à la fin de l'après-midi.

Tout à coup, Mademoiselle Paprika regarde sa montre et se dirige vers la porte en disant :

« La cloche va sonner dans

deux minutes... Attendez-moi en silence. Et pas de chahut, d'accord ? »

Je me tourne vers Pépita et lui chuchote :

« Elle est partie chercher ta boule !

— Merci, j'avais compris ! »
me répond Pépita d'un ton
sec. Je crois qu'elle m'en veut
de ne pas l'avoir aidée, tout à
l'heure...

Un instant plus tard, Mademoiselle Paprika revient... mais
elle a les mains vides ! Elle
s'installe derrière son bureau
et se met à postillonner d'un
air sévère :

« La boule de **Pé**P**i**ta a dis-
Paru ! Celui ou celle qui l'a
Prise est **P**rié de la rendre
immédiatement ! »

On se regarde tous sans rien
dire.

« C'est sûrement Futékati !
lance Célia avec un regard

mauvais. Elle a vu la boule de près, elle devait avoir envie de la garder pour elle... »

Mon cœur se met à battre à toute vitesse. Heureusement, j'ai de la présence d'esprit ! Je réplique d'un air très assuré :

« Je te signale, Célia, que je suis restée pendant toute la récréation avec Pépita ! On a joué à l'élastique. J'aimerais bien savoir à quel moment j'aurais pu venir prendre la boule ! »

Célia hausse les épaules sans répondre. Qu'est-ce qui lui a pris de m'accuser ?

À ce moment-là, la cloche sonne, mais Mademoiselle

Paprika lève la main pour nous demander de rester assis.

« Vous ne sortirez **P**as tant que le cou**P**able n'aura **P**as rendu cette boule ! »

C'est gai ! Je vais être en retard et maman va s'inquiéter. Et puis grand-mère doit être arrivée à la maison. Elle vient passer quelques jours chez nous et j'ai hâte de la voir !

Personne ne dit rien. On range nos affaires dans nos cartables en soupirant. Mademoiselle Paprika reprend :

« Futékati a raison. Celui ou celle qui a volé la boule n'a pu le faire que pendant la récréation... Lequel d'entre ~~~~s n'est pas resté dans la cour avec les autres ? »

Mademoiselle Paprika nous dévisage l'un après l'autre. Maintenant, elle a l'air très calme. Je la trouve encore plus impressionnante quand elle est calme !

« Moi, j'ai joué au ballon avec les garçons pendant toute la récréation ! s'écrie soudain Marion.

— C'est vrai, renchérit Mic. On est restés tout le temps ensemble. Il y avait Max, Rémi, Quentin et Marion !

— Et moi, dit Pauline, j'ai montré les photos de mon petit

frère à Élisabeth et à Morgane.

— Et on ne s'est pas quit-
tées, confirme Élisabeth. Sauf
quand Morgane... »

Élisabeth s'arrête net en
mettant la main sur sa bouche.

Quelle gaffeuse ! Maintenant, tout le monde va croire que c'est Morgane qui a volé la boule !

On se tourne tous vers elle, et Mademoiselle Paprika s'approche en l'interrogeant :

« Qu'as-tu fait quand tu as quitté Élisabeth et Pauline ? »

Aïe ! Je n'aimerais pas être à la place de Morgane !... Mais elle, elle ne rougit même pas. Elle explique tranquillement :

« Je suis retournée chercher mon écharpe... Mais ce n'est pas moi qui ai volé la boule ! De toute façon, je ne sais pas où on cache la clé du placard vert...

— Alors qui est-ce ? » continue Mademoiselle Paprika.

Elle est toute pâle et elle
serre les lèvres tellement fort
qu'on ne les voit plus, comme
si elle les avait <u>avalées</u>.

Maintenant, elle s'approche
d'Arthur.

« Et toi, Arthur, avec qui étais-tu pendant la récréation ?

— Avec personne ! » proteste Arthur.

Ça, c'est sûrement vrai. Arthur est toujours tout seul dans son coin. Il ne parle à personne. Mais ça ne veut pas dire que c'est un voleur !

« Et toi ? » interroge Mademoiselle Paprika en se penchant vers Théo.

Théo devient écarlate. Il est aussi timide qu'une petite souris. Il n'osera jamais répondre à Mademoiselle Paprika, et elle va peut-être le soupçonner !

En attendant, on est bloqués dans la classe et grand-

mère m'attend à la maison...

Soudain, Mademoiselle Paprika met sa tête dans ses mains, un peu comme papa quand je lui annonce de mauvaises notes. Puis, d'un air décidé, elle retourne à son bureau et déclare :

« Je ne vais pas vous garder indéfiniment. Vos parents vont s'inquiéter. Allez, vous pouvez rentrer...

— Et ma boule ? l'interrompt Pépita affolée.

— Ta boule, je sais qui l'a prise. Je conseille à cet élève de la rapporter chez moi ce soir. Sinon, je serai obligée d'appeler ses parents... »

On se regarde tous, très étonnés. Enfin... les autres sont étonnés ! Moi, j'ai réfléchi à ce qu'ont répondu mes copains, quand Mademoiselle Paprika les a interrogés. Et, comme elle, je sais maintenant qui a volé la tour Eiffel !

Et toi, tu le sais ?

C'est Morgane !

Mademoiselle Paprika ne nous avait pas dit où elle avait rangé la boule de Pépita. Morgane s'est trahie en prétendant ne pas savoir où on cachait la clé du placard vert ! Si elle n'avait pas volé la tour Eiffel, elle n'aurait pas su qu'elle s'y trouvait !

2

La séance
de magie

Pendant le petit déjeuner, grand-mère a décrété :

« Aujourd'hui, j'emmène Niko et Futékati en expédition ! »

Elle a toujours de bonnes idées, grand-mère. Niko et moi, on l'adore.

Elle est à peine plus grande

que moi. Son visage est aussi ridé qu'une pomme qu'on a oubliée dans un placard. Elle a une toute petite voix et elle parle avec un drôle d'accent. C'est normal : elle est japonaise, puisque c'est la maman de papa.

Nous voilà donc partis tous les trois.

On commence par une promenade en bateau-mouche. Puis grand-mère nous emmène dans un restaurant japonais. On mange du poisson cru et des gâteaux en forme d'animaux.

Quand on sort du restaurant, la pluie tombe à petites gouttes.

« On pourrait aller au cinéma ! » suggère Niko.

Grand-mère fronce les sourcils. Quand elle réfléchit, son visage se plisse encore plus et on ne voit plus ses yeux. Finalement, elle déclare :

« Je connais un endroit qui va plaire à mes petits singes ! »

Au Japon, on aime bien les singes parce que ce sont des animaux très intelligents. C'est pour ça que grand-mère nous appelle « ses petits singes » !

Après un long voyage en métro, on arrive devant un grand portail avec des dragons et des monstres aux yeux phosphorescents. Puis on entre dans une salle toute sombre, avec des rangées de fauteuils, comme au cinéma. Mais à la place de l'écran, il y a une scène avec un piano.

Un homme habillé de blanc vient s'asseoir au piano et se met à jouer. Puis un autre homme apparaît sur la scène. Celui-là a une cape noire et un grand chapeau.

« ET VOICI MONSIEUR BARAKA ! » annonce une voix.

« C'est un prestidigitateur ! explique grand-mère en applaudissant.

— J'avais deviné ! » répond fièrement Niko.

Grand-mère le regarde avec

une petite étincelle dans ses yeux noirs, et elle chuchote :

« Bien sûr, les petits singes savent tout ! Pourvu que le prestidigitateur ne les transforme pas en ânes ! »

Niko a l'air un peu vexé. Mais il n'a pas le temps de répliquer car le spectacle commence.

C'est un vrai magicien, Monsieur Baraka !

Il fait surgir un cygne de sous sa cape... Puis il change des verres de lait en poulets rôtis... Quelle chance il a, de savoir faire ça ! Moi, j'aimerais bien, parfois, changer le riz au lait plein de grumeaux

en crème au chocolat !

Enfin, Monsieur Baraka
entre dans une grande malle,
qu'un spectateur entoure avec
une corde solidement nouée.
Le rideau tombe... et se relève
immédiatement... Monsieur
Baraka est là, debout à côté de
la malle, tout souriant !

Tout le monde applaudit et

le pianiste joue une marche triomphale.

Puis il arrête de jouer. Tout le monde regarde Monsieur Baraka. Quel va être son prochain exploit ?

« Maintenant, j'ai besoin de votre participation ! » annonce-t-il d'un air solennel.

Des coulisses, quelqu'un apporte un grand tableau blanc et le pose sur le devant de la scène.

« L'un d'entre vous va venir dessiner un personnage sur ce tableau. Moi, j'aurai les yeux bandés, et pourtant je vous décrirai le personnage qui aura été dessiné ! »

Des « Oh ! » et des « Ah ! » d'admiration s'élèvent dans la salle.

« Facile ! commente Niko. C'est un complice qui fera le dessin. Ils se sont mis d'accord à l'avance !

— Tu crois ? » fait grand-mère en le regardant en coin.

Monsieur Baraka demande au pianiste de lui mettre un bandeau noir sur les yeux, puis il interroge d'une voix forte :

« Qui d'entre vous va venir dessiner ?

— Quel tricheur ! » marmonne Niko en haussant les épaules.

Grand-mère se lève et dit,

avec sa petite voix aussi fraîche que du sirop de menthe :

« Moi, monsieur !

— Eh bien, approchez-vous, madame ! » répond Monsieur Baraka en souriant de plus belle.

Le public applaudit, tandis que grand-mère s'avance vers la scène.

Niko me regarde avec des yeux qui lui sortent de la tête.

« Ça alors ! Ça alors ! » répète-t-il, complètement éberlué.

Moi aussi, je suis étonnée. Mais je ne dis rien. J'ai hâte de voir ce qui va se passer !

C'est bizarre de voir grand-mère sur la scène ! Elle a l'air encore plus petite que d'habitude !

Elle prend un gros feutre et commence à dessiner.

Tout le monde se tait. Très doucement, le pianiste joue des airs que tous les spectateurs connaissent, mais personne n'a envie de chanter !

On regarde grand-mère, et on regarde Monsieur Baraka, avec son bandeau sur les yeux.

« S'il vous plaît, madame, supplie-t-il d'une toute petite voix, ne faites pas un dessin trop compliqué ! »

Tout le monde éclate de rire, surtout Niko et moi. Monsieur Baraka peut être tranquille ! Le dessin de grand-mère ne risque pas d'être compliqué : elle dessine comme un manche à balai !

Un rond pour la tête... Des rectangles pour le corps, les jambes et les bras... Un carré pour le chapeau, et voilà ! Il n'y a plus qu'à mettre les couleurs.

   Du rouge pour le pull... Du
bleu pour le pantalon... Une
moustache noire... Des chaussures jaunes... Grand-mère a
terminé son dessin !

   Elle repose les feutres et se
dirige vers Monsieur Baraka.
En se haussant sur la pointe
des pieds, elle lui tape sur
l'épaule et dit :

« J'ai fini !

— C'est bien, madame ! la félicite Monsieur Baraka. Vous pouvez retourner à votre place ! »

Tout le monde applaudit grand-mère, qui revient se glisser entre Niko et moi.

Et voilà que Monsieur Baraka commence à parler, très lentement.

« Le personnage que vous avez devant vous... voyons... C'est une petite fille... NON... une femme... NON... c'est plutôt un homme... OUI, c'est un homme ! »

On applaudit.

« Prodigieux ! » crie le gros

monsieur qui est assis à ma gauche.

Monsieur Baraka continue :

« Il me semble que ce monsieur a un pantalon noir... NON, pas exactement, plutôt vert... euh... NON... bleu... OUI, son pantalon est bleu ! »

« Remarquable ! » s'écrie le gros monsieur. Et les applaudissements crépitent tellement fort qu'on n'entend même plus le piano.

Ça vaut peut-être mieux, d'ailleurs, parce que le pianiste a l'air d'être fatigué. Pendant les numéros de la malle et du verre de lait, il jouait très bien. Mais depuis que grand-mère a dessiné, il n'arrête pas de faire des fausses notes !

Grand-mère fronce les sourcils. Elle dessine comme un manche à balai, mais elle est très forte en musique et elle n'aime pas les fausses notes !

« Cet homme, reprend Monsieur Baraka, porte une chemise... NON... un pull-over... OUI !... un pull-over ! Voyons, de quelle couleur est-il ? Jaune ?... NON... Vert, peut-être ?... Mais NON, voyons, il est rouge !... Est-il bien rouge ?... OUI, c'est ça ! Il est rouge ! »

On applaudit encore plus fort que pour le pantalon. Grand-mère, elle, s'énerve encore contre le pianiste. Cette fois, j'ai compté : il a fait trois fausses notes rien que pour le pull-over !

Mais ce n'est pas grave. On est là pour applaudir Monsieur Baraka, pas pour la musique. Et il est vraiment très fort, Monsieur Baraka !

« Maintenant, je vois parfaitement le dessin, dit-il au bout de cinq minutes. C'est un monsieur avec un pull rouge, un pantalon bleu, des chaussures jaunes et une moustache noire... C'est bien ça ? »

Tout le monde se lève et l'acclame :

« BRA-VO, BA-RA-KA ! BRA-VO, BA-RA-KA ! »

Grand-mère glisse à Niko :

« Alors ? Tu penses toujours que Monsieur Baraka a un complice ? »

Niko la regarde en riant. Puis, soudain, il cesse d'applaudir et il lui dit en fronçant les sourcils :

« Et si Monsieur Baraka était un de tes amis ? Sa complice, ça pourrait être toi, grand-mère ! »

Niko se penche vers moi.

« Hein, Futékati ? Tu ne crois pas que grand-mère pourrait avoir tout arrangé avec Monsieur Baraka ? »

Sur un ton très mystérieux, je lui réponds :

« Tu as raison, Niko, Monsieur Baraka a un complice dans la salle. Mais ce n'est pas grand-mère ! »

Et grand-mère m'embrasse l'air très fier.

« Bravo, Futékati ! Tu es futée comme un singe ! Bien

sûr que Monsieur Baraka a un complice ! »

Tu sais, toi, qui a aidé Monsieur Baraka à deviner à quoi ressemblait le dessin de grand-mère ?

Le pianiste, bien sûr !

Il avait un code pour communiquer avec Monsieur Baraka. Chaque fois que Monsieur Baraka se trompait, le pianiste faisait une fausse note. Alors Monsieur Baraka proposait une autre réponse. Quand il n'y avait pas de fausse note, cela voulait dire qu'il ne s'était pas trompé...

3

Futékati
est soupçonnée !

Cette année, Mademoiselle
Paprika nous a emmenés en
classe de découverte. Le matin,
on travaille un peu, et l'après-
midi on découvre la nature.
C'est beaucoup mieux qu'à
l'école !

Mais aujourd'hui, ça commence plutôt mal pour moi. Mademoiselle Paprika annonce en entrant dans la salle :

« Ce matin, grammaire et géographie ! Et cet après-midi, spéléo ! »

La grammaire, c'est mon cauchemar. La géographie, ça m'ennuie. Quant à la spéléo... Descendre sous terre, dans des grottes... quelle horreur ! Je n'ai pas du tout envie d'aller me faire chatouiller par les chauves-souris...

J'ai une idée : je vais dire que j'ai mal au cœur et Mademoiselle Paprika m'enverra au lit !

Donc, pendant la récréation,

je vais trouver Mademoiselle Paprika. Je balbutie d'une toute petite voix :

« Maîtresse, j'ai… très mal au cœur... »

L'air inquiet, Mademoiselle Paprika pose la main sur mon front et s'écrie :

« Mais tu es brûlante, Futékati ! Tu as sûrement de la fièvre ! »

Le pire, c'est que c'est presque vrai ! Je me sens bouillante. Forcément : je ne suis pas habituée à mentir.

Mademoiselle Paprika me donne donc un médicament et elle m'accompagne au dortoir. Puis elle s'en va en me recommandant de bien me reposer :

« À midi, bouillon de légumes, et cet après-midi, pendant que nous serons partis visiter les grottes, tu pourras dormir. Si tu te sens plus mal, tu n'auras qu'à appeler Cacatoès : il ne viendra pas avec nous car il s'est foulé la cheville. »

Cacatoès, c'est mon moniteur préféré. Il nous fait chanter en canon et sait dessiner tous les animaux.

Ça y est, ils s'en vont ! Mademoiselle Paprika est en tête du groupe, avec un gros sac à dos et un rouleau de cordes. Un moniteur ferme la marche en sifflotant.

Bon, et maintenant, qu'est-ce que je vais faire ? Écrire à Niko ? Bof ! J'ai un peu la flemme...

Et puis je meurs de faim ! Le bouillon de légumes, c'est bien quand on est *vraiment* malade. Mais moi, je suis en pleine forme !

Je sais : je vais descendre à la cuisine, voir si je peux trouver quelque chose à manger...

Pourvu que Charivari ne soit pas déjà en train de préparer le dîner !

Charivari, c'est le cuisinier. Je ne l'aime pas du tout... Il parle très fort, claque les portes, et il a déjà cassé la moitié des verres de la cantine !

Pour une fois, cet après-midi, il ne fait pas de bruit. Mademoiselle Paprika lui a sans doute expliqué que j'étais très malade et qu'il ne fallait pas me déranger... Alors j'ai intérêt à être aussi silencieuse qu'une petite souris, moi aussi !

Je pousse la porte du dortoir avec précaution... Je descends les marches sur la pointe de mes chaussettes... Ah ! La porte de la cuisine est grande ouverte et la pièce est vide... Une chance !

Bon... Qu'est-ce que je pourrais bien grignoter ? Voyons ce qu'il y a dans ces grandes marmites...

Je me hausse sur la pointe des pieds et je soulève un des couvercles.

Des haricots dans une sauce toute rouge... C'est peut-être du cassoulet ?

Le cassoulet, j'adore ça. Mais le cassoulet froid, beurk ! J'amerais mieux du chocolat aux noisettes...

Juste quand je m'apprête à reposer le couvercle de la marmite, j'entends quelqu'un entrer dans la cuisine ! Ça ne peut être que Charivari...

Je préférerais que ce soit Cacatoès !

Complètement affolée, je lâche le couvercle de la marmite. Il tombe sur le carrelage avec fracas et, au même moment, quelqu'un se jette sur moi ! Au secours ! Je pousse un hurlement d'épouvante...

Mais ce n'est que Fripouille, le chat du centre ! Toute tremblante, je le prends dans mes bras :

« C'est malin, Fripouille ! Maintenant, Charivari va venir et il racontera tout à Mademoiselle Paprika ! »

Fripouille me regarde d'un air un peu effaré, les moustaches hérissées de panique. Je l'ai à peine reposé par terre qu'il file à toute vitesse.

Je tends l'oreille, mais rien ne se passe... Ouf ! Personne n'a rien entendu !

Le cœur battant, je grimpe l'escalier quatre à quatre et je vais me réfugier sous mes couvertures.

Tant pis pour le chocolat ! Je me rattraperai avec le cassoulet, ce soir. Pourvu que Mademoiselle Paprika ne décrète pas que je suis trop malade pour en manger !

Aussitôt rentrée de la spéléo, elle vient me voir au dortoir.

« Tu te sens mieux, Futékati ?

— Beaucoup mieux ! Et j'ai très faim !

— Alors tu pourras dîner avec nous, décrète Mademoiselle Paprika. En attendant, repose-toi encore un peu. »

Elle n'a pas l'air fâché du tout. Elle a sûrement cru que j'étais vraiment malade...

Mais quand je descends au réfectoire, mes copains ont l'air de mauvaise humeur et ils me tournent le dos !

Je m'installe à la table de Pauline.

« Pourquoi vous faites cette tête ? C'est à cause des grottes ? Vous avez eu si peur que ça ?

— Peur ? Pas du tout ! répond Pauline en regardant son verre.

— Alors racontez-moi ! »

Pas de réponse... Ils mangent tous en silence, en piquant du nez dans leurs assiettes ! Au bout d'un moment, je m'énerve un peu :

« Mais qu'est-ce qui se passe, à la fin ? Vous avez vu un fantôme, dans les grottes ? »

Toujours pas de réponse.

C'est alors que Mademoiselle Paprika, qui est assise à la table d'à côté, vient vers moi et me demande :

« Qu'est-ce que tu as fait cet après-midi, Futékati ? »

Je manque de m'étrangler. Quelqu'un m'a dénoncée ! Mais qui ? Tout de même pas Fripouille ! On n'a jamais entendu un chat parler !

D'un air sévère, Mademoiselle Paprika insiste :

« Où es-tu allée avec le vélo d'Élisabeth ? »

Le vélo d'Élisabeth ? Mais qu'est-ce qu'elle raconte ?

« Tu sais à quel **P**oint Élisabeth aime son nouveau vélo ! reprend Mademoiselle Paprika. En rentrant, elle s'est **P**réci**P**itée dans le hangar **P**our le regarder... Le vélo était **P**lein de boue ! Or il était tout **P**ro**P**re ce matin ! Quelqu'un

s'en est donc servi cet a**P**rès-
midi ! Toi, forcément, **P**uisque
les autres étaient à la s**P**éléo ! »

Mademoiselle Paprika a
beau ne pas parler fort, elle
envoie plein de postillons dans
mon cassoulet. Comme à l'école,

lorsqu'elle est en colère !

Quant aux copains, ils ont l'air de plus en plus étrange : Pauline regarde le plafond, Rémi fait semblant de lire ce qui est écrit sur la bouteille d'eau, Marion compte les haricots dans son assiette... Ma parole, ils me soupçonnent !

Je m'écrie :

« Ce n'est pas moi ! Je n'aurais jamais pris le vélo d'Élisabeth sans le lui demander ! D'ailleurs, j'étais beaucoup trop malade pour faire du vélo ! »

Et là, je me sens devenir toute rouge. Encore un mensonge ! Mais soudain, j'ai une idée :

« De toute façon, Élisabeth est beaucoup trop grande ! Si j'avais pris un vélo, j'aurais plutôt choisi celui de Pauline ! Elle est presque aussi petite que moi ! »

Je crois que j'ai eu une bonne idée. Le plafond, la bouteille d'eau et les haricots n'ont plus l'air d'intéresser personne. Mes copains me regardent soulagés.

Déjà un peu moins sûre d'elle, Mademoiselle Paprika décide :

« APrès le dîner, nous irons dans le hangar à vélos. Nous verrons si tu es vraiment troP Petite Pour le vélo d'Élisabeth ! »

Je ne suis pas très rassurée...

Élisabeth est plus grande que moi, d'accord. Mais je crois que je pourrais quand même tenir sur son vélo...

Nous voilà donc dans le hangar. Personne n'ose dire un mot.

Mademoiselle Paprika me conduit jusqu'au vélo d'Élisabeth.

« Voilà ! dit-elle. Vas-y ! Grimpe ! »

Je m'approche, je passe la jambe droite par-dessus le cadre, je pose le pied sur la pédale... Et tout le monde éclate de rire ! La selle et le guidon m'arrivent presque aux épaules !

« Eh bien, je pense en effet que tu es innocente, Futékati ! » conclut Mademoiselle Paprika en souriant.

Élisabeth, elle, fait toujours la tête. Elle s'approche de son vélo et s'exclame :

« Regardez ! Il est tout abîmé ! Moi non plus, je ne pourrais même pas m'asseoir sur la selle tellement elle est haute, maintenant ! »

Je réfléchis un instant, puis j'explique gentiment à Élisabeth :

« Mais non, ton vélo n'est pas abîmé ! Et si tu veux, je peux te dire qui l'a utilisé cet après-midi... »

Et toi, tu sais qui a « emprunté » le vélo d'Élisabeth ?

C'est Charivari. Elisabeth est plus grande que moi, mais pas à tel point que le guidon de son vélo m'arrive à l'épaule ! D'ailleurs, même elle n'arrive plus à monter dessus... C'est parce qu'il a été utilisé par un adulte, qui a haussé la selle et le guidon pour être plus à l'aise ! Cacatoès, avec sa cheville foulée, n'aurait surement pas envie de faire du vélo... C'est Charivari qui est allé se promener sur la bicyclette d'Elisabeth car, s'il avait été au centre, il serait venu voir ce qui se passait quand j'ai fait tomber le couvercle de la marmite !

4

Les photos d'identité

Demain, c'est l'anniversaire de maman.

Niko et moi, on a cassé nos tirelires pour lui acheter un cadeau. Je vais le choisir avec papa cet après-midi, pendant que Niko sera au judo.

Papa n'aime pas beaucoup aller dans les grands magasins. Il a toujours peur que je me perde dans la foule. Il me répète toutes les cinq minutes :

« Ne me lâche pas la main, Futékati ! »

Il doit croire que j'ai encore trois ans !

Moi, j'adore les grands magasins. D'abord, on va au rayon des jouets, et papa attend patiemment que j'aie tout regardé.

Ensuite, on passe à l'étage des dames. J'aime bien admirer les mannequins... Quand je serai grande, je passerai des heures à essayer toutes les robes ! Mais ce que je préfère par-dessus tout, c'est le rayon des bijoux.

Et ça tombe bien, parce qu'on a décidé d'offrir un collier à maman. J'en veux un du même vert que ses yeux.

Je n'ai pas besoin de chercher longtemps : j'en trouve tout de suite un magnifique ! Les perles sont grosses comme des cerises. Enfin... des cerises vertes ! Juste du vert que je voulais...

Papa regarde aussitôt combien il coûte. Deux cents francs... C'est exactement ce que j'ai dans mon porte-monnaie !

Papa s'avance vers la vendeuse mais je passe devant lui, très excitée.

« C'est moi qui vais payer, papa ! »

Papa sourit.

« N'oublie pas de demander un paquet cadeau, Futékati ! »

Je prends le collier et je le tends à la vendeuse. Elle me l'arrache presque des mains. Qu'est-ce qu'elle a ? Elle est de mauvaise humeur ?

« Excuse-moi, ma petite, explique-t-elle aussitôt. Je suis un peu énervée... Tout à l'heure, je me suis aperçue qu'une montre avait disparu. Une des montres les plus chères ! Mon

patron est très en colère...
Il m'a dit que je ne surveillais
pas assez les clients. »

Pendant qu'elle enveloppe
le collier dans un beau papier
doré, je dis à papa :

« Ce n'est quand même pas
ma faute si on a volé une
montre ! Elle pourrait être
aimable ! »

Papa se penche vers moi :

« Tu sais, Futékati, elle doit
être très ennuyée. Elle va
sans doute être obligée de
rembourser la montre à son
patron !

— Mais ce n'est pas juste !...
Il n'y a qu'à retrouver le
voleur !

— Ça semble difficile !
rétorque papa. Elle ne l'a pas
vu. Comment le rechercher sans
savoir à quoi il ressemble ? »

Papa a raison. Il a presque
toujours raison, d'ailleurs.
Quelquefois, ça m'agace !

Enfin, tant pis ! Je suis tellement contente d'avoir trouvé
le collier de mes rêves que
j'oublie vite la montre volée.

Au bout d'un moment, j'en
ai un peu assez. Il fait une cha-
leur torride, dans ce magasin !
Je demande à papa :

« On rentre bientôt ?

— Pas tout de suite, Futékati ! J'ai besoin de photos

d'identité. Toi aussi, d'ailleurs...
Allons à la cabine Photo-
maton ! »

Bon, d'accord pour les
photos !

« Mais cette fois, ajoute
papa, pas de grimaces, hein ?

— Je n'y peux rien, papa !
Dès que je suis perchée sur le
tabouret et que je me vois
dans la vitre, j'ai envie de faire
des grimaces !

— Tu n'as qu'à imaginer
que tu es une grande actrice
et que tout le monde te
regarde !

— C'est bon, je vais jouer à
la grande actrice. On dirait que
je serais... Qui, papa ? Quelle

actrice je pourrais être ?

— Eh bien... Alizée, par exemple ! »

Papa est tombé juste ! Alizée, c'est une jeune fille qui joue dans des films, à la télévision. Il lui arrive toujours des tas

d'aventures et je la trouve très belle. Elle est grande avec des cheveux bouclés... J'aimerais bien lui ressembler ! Je la croise souvent dans la rue, parce qu'elle habite dans notre quartier. Un jour, elle m'a même souri !

« Tu sais, papa, Alizée habite tout près d'ici ! »

Papa me regarde d'un drôle d'air, comme s'il ne me croyait pas. Et puis il commence à s'impatienter :

« Bon, où est-elle, cette cabine Photomaton ?... Ah !... Là-bas ! »

Au moment où nous arrivons à côté de la cabine, il se passe une chose incroyable.

Alizée est là, tout près, en train d'acheter un livre !

Je crie tout fort :

« Là, papa ! Je la vois ! Je la reconnais ! C'est elle !

— Ne crie pas si fort, Futékati ! proteste papa. De qui parles-tu ? »

Je suis tellement excitée que je répète encore plus fort :

« Là ! C'est elle ! »

Tout le monde me regarde et papa a l'air très gêné. Il n'aime pas du tout se faire remarquer. Il m'entraîne tellement vite vers la cabine Photomaton que je manque de me faire renverser par une femme qui en sort.

C'est malin ! Quand on aura

fini les photos, Alizée sera sûrement partie... J'aurais tellement voulu lui demander un autographe !

« Tu vas passer la première, Futékati », dit papa en cherchant des pièces dans sa poche.

Sur le tabouret, je m'imagine que je suis Alizée, et je n'ai plus du tout envie de faire des grimaces !

Ensuite, c'est le tour de papa. Il regarde devant lui d'un air sérieux. Ses photos seront sûrement réussies ! Papa est toujours bien, sur les photos.

Il ressort de la cabine, et on attend que les photos tombent dans la petite case.

Au bout de quelques secondes, les miennes sont déjà là ! Papa les retire et éclate de rire :

« Cette fois, Futékati, tu n'as pas fait de grimaces… Mais je me demande bien pourquoi tu as mis une perruque ! »

Une perruque ? Qu'est-ce qu'il raconte ? Il est encore en train de me faire une farce !

Il me montre les photos... Ce n'est pas du tout moi ! C'est une dame avec de grands cheveux blonds frisés et des lunettes à monture violette ! J'éclate de rire à mon tour.

« Je la reconnais, papa ! C'est la dame qui m'a bousculée quand on est arrivés, tout à l'heure !

— Ah bon ? Eh bien, dis donc, elle n'a pas l'air commode ! »

Ça, c'est vrai ! Elle a un rouge à lèvres violet et une énorme verrue sur le menton. Elle me rappelle la sorcière qui

offre une pomme empoi-
sonnée à Blanche-Neige !

« Elle est rudement distraite,
cette dame, dit papa. Elle pose
pour des photos d'identité,
puis elle part sans attendre
qu'elles soient prêtes...

— Et comme on ne sait pas

son nom, on ne pourra pas les lui envoyer !

— On les portera aux objets trouvés, suggère papa. Il n'y a pas d'autre solution... On ira dès qu'on aura nos photos. »

Les miennes ne sont pas trop mal. Mais je me trouve moins jolie qu'Alizée... Quant à papa, il est très beau, comme d'habitude.

« Tant mieux si tu me trouves beau ! dit papa. Comme tu me ressembles, cela veut dire que tu es belle, toi aussi ! »

Puis il ajoute avec un petit sourire :

« Heureusement, tu es moins moche que la dame à la verrue

sur le menton !... Viens, on va aux objets trouvés et ensuite on rentrera à la maison. »

En suivant papa dans les allées, je repense à ce qui s'est passé tout à l'heure, quand on est arrivés à la cabine Photo-

maton et que j'ai aperçu Alizée.
Je dis à papa d'un air sérieux :

« On devrait plutôt aller
trouver le directeur du magasin !

— Le directeur ? s'exclame
papa. Pourquoi donc ?

— Pour lui donner les photos de la voleuse ! Ça l'aiderait
peut-être à la retrouver !

— La voleuse ? répète papa.
Quelle voleuse ?

— Celle qui a pris la montre,
tiens !

— Et pourquoi veux-tu que
cette femme soit la voleuse ? »
me demande papa, de plus en
plus étonné.

Tu sais, toi, pourquoi je pense que la femme à la verrue a volé la montre ?

Parce que, lorsque je suis arrivée avec papa devant la cabine Photomaton, elle m'a bousculée et elle est partie très vite. Ce n'était pas normal du tout : elle aurait dû attendre tranquillement que ses photos soient prêtes !

Mais elle m'avait entendue crier très fort : « Je la vois ! Je la reconnais ! C'est elle ! » Je parlais d'Alizée, bien sûr... Mais la femme, elle, a cru que je parlais d'elle. Elle a dû penser que je l'avais vue voler la montre, et elle s'est enfuie à toute vitesse !

Table

1. La tour Eiffel a disparu ! 9

2. La séance de magie 31

3. Futékati est soupçonnée ! 53

4. Les photos d'identité 75

Imprimé en France par *Partenaires-Livres* ®
N° dépôt légal : 35082 – mai 2003
20.20.0259.04/0   ISBN : 2.01.200259.5